Conception graphique de la couverture: MICHEL MARTEL

Yves Thériault

Dépôt légal — 4ᵉ trimestre 1986
Bibliothèque nationale du Canada, Ottawa
Dépôt légal — 4ᵉ trimestre 1986
Bibliothèque nationale du Québec, Montréal
ISBN: 2-89015-047-X

le choix de
Marie José Thériault

dans l'oeuvre
d'Yves Thériault

1986

Les Presses Laurentiennes

1645, avenue Notre-Dame
Charlesbourg, Québec, G2N 1S6

Déjà parus:

Photo: Kèro

AVANT-PROPOS

L'écrivain est rarement tout entier dans son œuvre: il en deviendrait fou. Mais une assez grande part de lui s'y trouve, masquée. On a beaucoup parlé de l'*ours* Thériault; on lui en a voulu pour son mauvais caractère, ses emportements, ses passions; on a beaucoup admiré et aussi beaucoup montré du doigt ses personnages; on les a dits «primitifs», «instinctifs», presque plus grands que nature. On a trop souvent oublié qu'eux, tout autant que lui, avaient le cœur à fleur de peau: brusqueries, colères réelles, violence des sentiments et des textes, ce que l'on sait et tout ce que l'on cite, le plus *visible*, était une manière de cacher ce qui, secrètement, souffrait.

Même ayant connu de près cet homme, mon père, quelque chose de lui me restera toujours étranger: *cela*, dont il se protégeait lui-même, en écrivant.

C'est donc guidée par l'émotion seule de ma lecture que j'ai fait ici mon choix. Yves Thériault l'approuverait-il, lui qui détestait les morceaux d'anthologie? Je l'espère. Car les textes réunis ici, dont certains sont un peu moins connus ou plus rarement cités, auront le mérite de vouloir servir autant la vulnérabilité de l'homme qu'il fut, que la gloire du personnage qu'il demeure.

Marie José Thériault

SIMON-LA-MAIN-GOURDE

*Cette année-ci, le blé sera beau; la
terre a bu le sang de l'homme.*

(CALLOC'H)

Au temps où se sont passées ces choses, le jour était bien beau, avec sa parure de plein été.

Et bien doux le ciel, bien chaud le soleil.

Et le vert des feuilles et des champs était au plus fort, tout creux dans les cellules.

Excepté là où c'était le blé, et cela était doré.

Grand doré, un champ de large, et un champ de long, comme ça tous les deux champs, tant qu'entre les deux il y a le regain de luzerne qui est gros vert, et le trèfle neuf qui est vert aussi.

Du beau en bordure de tout le chemin, d'un hameau à l'autre, et d'un canton à l'autre, avec seulement les rares mauvaises terres pour enlaidir un peu, ce qui est bien peu.

Donc vivait alors Simon-la-main-gourde, voisin à gauche de Daumier, quand Boutillon est voisin à droite.

Simon-la-main-gourde, qui a la main comme ça toute petite, qu'elle ne remue pas, et ne peut rien faire autre que battre aux mouvements et baller comme morte.

Simon qui n'a jamais pris femme, et qui vit seul sur son bien, sans parler trop et sans avoir commerce avec le hameau.

Et même que le beau de l'été est en pleine vigueur, et que les jours ont de la joie, Simon, lui, va triste et sombre.

On le lui a crié — par voix des gamins qui répètent les opinions de dessert et de veillée — mais il n'a pas semblé entendre.

Une toute jeune, mais déjà femme, lui a lancé l'œillade, et il ne l'a pas vue.

Au long du chemin il a rencontré la mère Druseau, et elle a dit:

— Ils ont fête au village ce soir, tu ne viendras pas?

Mais il a fait non de la tête, et a gardé le visage fermé.

Alors la mère Druseau a haussé les épaules et n'a pas voulu dire plus.

Ce qui sembla bien faire l'affaire de Simon qui continua son chemin sans ranimer la conversation.

Et d'aller sur le raboteux, il y avait la main qui dansait, comme si elle n'était pas à Simon, et qu'il la porterait, morte, sous son bras.

Il y a bien des années qu'il est ainsi taciturne le Simon.

Depuis qu'il est d'âge d'homme.

Autrefois, avant de prendre le bien du père, il était simplement morose, et ne parlait pas. On était jeune dans le village, ceux du moins qui étaient les proches de Simon, et on ne le remarquait pas tant.

Mais vint le jour où Simon prit bien, et on commença à remarquer qu'il restait sur la terre, seul, venant rarement au village.

Qu'il ne voulait rien comme tous les autres.

Qu'il ne voulait pas de femmes.

Et cela était pour le moins étrange, surtout quand vous venaient les grands soleils à bourgeons du printemps.

Mais à tant se demander ce qui rendait Simon ermite, et ne pas avoir de réponse, on devint indifférent. Il fallait qu'un jour le hameau s'habitue à Simon. Ce jour vint, et Simon vécut en paix, seul sur son bien.

Mais cet été-là, il arriva quelque chose.

Avec tout le soleil et le beau vert, il fut que la récolte doubla quasi sur celle de l'an passé. Et voilà que Simon qui n'a qu'une main doit bien prendre un engagé, voyez-vous, et que cela est tout neuf de voir un étranger sur sa terre, alors que jamais autre que Simon n'a foulé les sillons et pénétré les bâtiments depuis la mort du père.

Il engagea le fils Boutillon, autant pingre que le vieux, et qui va de ferme en ferme aux récoltes, histoire de gagner ce qu'il ne gagnerait pas à aider le père.

Travaille donc, fils Boutillon, aux prix maigres de Simon qui n'a pas la grande richesse, si l'on en juge par son bien.

Travaille d'un soleil à l'autre, à hâler et à suer, tant et tant que ça te met le teint cuit de soleil et la face luisante de crasse que la sueur délaye.

Au premier jour, il fut que Simon n'avait pas l'habitude des nouveaux yeux sur son domaine et en était gêné. Mais le lendemain il endura mieux Prosper à Boutillon.

Au troisième jour, il n'avait encore dit cependant que des mots de travail. Au hasard des ouvrages, et en allant dans les champs ou dans les bâtisses.

«Tire!»

...ou:

«Prends ton bout!»

«Allons dîner!»

Mais rien qui soit de la phrase en amitié. Rien de beau ou même poli. Seulement, je viens de le dire, des mots de travail.

Vous comprenez bien que cela était du grand deuil pour le Prosper qui a la langue facile.

Il continua tout de même, si pingre, pour avoir le magot des récoltes finies.

Mais cela lui faisait les journées longues.

De la grande maison qui est déserte sous le bosquet d'arbres, en marchant vers le fond de la terre qui est en pente devant la maison jusqu'au creux de la vallée, avec la mer qui embrume la crête des collines l'autre côté de cette vallée, il y a bien une lieue, et c'est long la lieue, quand on y travaille sans parler, et qu'on y marche les longueurs, dans le silence, avec même la gêne de chanter, parce que ça pourrait nuire aux pensées de Simon.

Alors Prosper trime et se tait, mais se dit que c'est vie triste que celle de Simon-la-main-gourde.

Les récoltes vont, quand on s'y met deux, et bientôt les champs sont nus. Seulement les restes de tiges qui jaillissent.

Simon a peiné, Prosper aussi, et le blé est battu, le grain prêt pour le moulin.

Les granges sont pleines de foin, et les animaux ont enfin leur grand content.

Puis un midi, ils sont tous deux près de la petite source, dans le décroît du vallon.

Simon vaque pour remettre les bœufs aux brancards, et Prosper lui aide.

Si bien que tire Simon, pousse Prosper, Prosper se déchire la peau de la main sur le métal du brancard.

Une éraflure qui n'atteint rien autre que la peau, mais qui fait couler de grosses gouttes de sang rouge.

Du sang qui part de la main, et tombe par terre, dans le sol fendu par les premiers labours.

Prosper qui n'a rien dit, pas même un mot de douleur, regarde couler le sang et parle enfin.

— J'ai ouï déjà, au temps de ma grand'mère, le vieux dicton qui vient des autres pays.

Et Simon demande :

— Et c'est quoi qu'il dit, le dicton ?

— «Cette année-ci, le blé sera beau, car la terre a bu le sang de l'homme».

Simon songe un instant, puis regarde Prosper et dit :

— Allons, pousse quand je tire, faut que les bœufs mènent le voyage à la maison !

Mais en dedans de Simon, tout n'est pas silencieux comme le jour en paix, et les pensées se croisent et se mêlent, et font presque du bruit, tant elles sont rapides et nombreuses.

16

Que le Simon se dit:

«Alors la terre qui a bu le sang de l'homme donne bien? Le blé y vient beau dans cette terre abreuvée de sang? C'est le secret des beaux blés?»

Comme ça pour des minutes, avec la répétition, et toujours le même son du blé abreuvé de sang, de terre qui boit le sang et accouche de beau blé!

Simon que la belle récolte émeut, et qui a l'avarice des solitaires, a du désir d'une autre année encore de ces champs florissants. Et qui sait quelle magie pourrait faire donner si bien deux années de suite.

À moins que tel le dicton, sa terre à lui boirait le sang de l'homme et donnerait?

Et il rumine tant que ça devient des nœuds plein la tête, et que les nœuds, plus il veut les défaire, plus ils s'emmêlent et se nouent, et ça lui fait tout à coup, maintenant que les bêtes sont attelées et que la voiture roule bien vers la maison, frapper un bœuf à grand coup de trique et crier:

— Va donc, fils de vache, et marche, et marche donc!

Même que Prosper est surpris de voir Simon si bruyant et comme fiévreux avec des pommettes rouges et la main tremblante.

Si le Prosper avait pu voir combien c'était mêlé dans la tête de Simon, et combien c'était devenu un charivari épouvantable, et une tentation plus forte que le ciel.

La soirée longue, et la nuit aussi, l'idée courut dans Simon, devint presque tangible, à cause qu'il la sentait dans ses veines comme du feu.

Le lendemain, ils partirent tous deux à bonne heure, même avant le grand soleil, pour labourer la terre où sera le blé l'an prochain.

Et Simon a les yeux grands et rouges, et il a le geste fébrile, avec cette nuit sans sommeil et ce dicton qui lui assène les oreilles.

Au champ pour le blé, ils ont attelé les bœufs à la charrue, et quand tout a été prêt, que Simon a vu qu'il était temps, il a sauté sur Prosper, et il l'a attaché au soc de la charrue avec une corde.

Il releva la jambe de pantalon de Prosper, celle de gauche, et puis celle de droite, et il lui entailla les grosses veines bleues, et le sang se mit à couler.

Alors Simon mène ses bœufs à travers le champ, en tenant le mancheron de sa bonne main, et y va tout doucement pour que pas une goutte du sang de Prosper ne se perde.

«Simon-la-main-gourde»
Contes pour un homme seul
© Hurtubise HMH, 1965

ASHINI

Chapitre XIV

Une route descend des Métropoles et longe le village indien des Betsiamits.

Les Blancs ont érigé un pont d'acier, une masse énorme et laide qui relie les rives escarpées de la Bersimis.

Sortant de ce pont pour entrer sur les territoires concédés, il y a en bordure de la route un poteau où fut clouée une affiche odieuse. On y lit:

Réserve indienne des Betsiamits

J'ai souvent contemplé cette borne-frontière avec horreur. Car il était là dans toute sa puissance, ce symbole de ségrégation. Intangible barbelé, obstacle, contrainte.

Et c'était là, en pleine vue, au souffle du vent glacial et dans la lumière morne du matin d'hiver, que j'accomplirais mon destin tout en assurant celui des miens.

On n'avait pas entendu ma voix, la voix d'un homme seul criant de son désert.

Mais on entendrait d'autres voix, la voix horrifiée des justes, pour une fois plus forte, pour une fois groupée et réclamant l'équité des lois.

Quand je me suis rendu au poteau indicateur, les parages étaient déserts. Plus déserts, me sembla-t-il, qu'ils ne l'avaient jamais été.

À quoi rêvaient les Montagnais déchus dans leurs lits trop mous?

Sous combien de toits un acte de continuation avait-il été accompli cette nuit-là dans le village indien des Betsiamits, dont les fruits d'automne seraient, sans le savoir si tôt, les premiers venus de la nouvelle et libre race montagnaise?

Sauraient-ils me devoir leur sang neuf, ne fût-ce qu'en demi-souvenir d'écolier indocile?

Mon nom leur sera-t-il douceur et fierté?

J'ai accroché, au sommet du poteau de bois blanc, la bride du harnais d'aisselle que je m'étais fabriqué.

Ainsi suspendu, mes pieds ne touchaient que difficilement le sol, et je ballais au vent du matin.

Puis, avec mon couteau, j'ai tranché l'artère de mon poignet droit, et vitement ensuite celle du poignet gauche.

En un flot rapide, dans le matin blême, toute la vie s'est écoulée de mon corps.

Mais j'ignorais alors que je mourais petit à petit, pendu à ma croix nouvelle, que pas un de mes messages n'était parvenu au Grand Chef Blanc.

Et que, sur le certificat officiel de décès, l'on inscrirait, dernier opprobre:

Ashini, Montagnais, 63 ans,
suicide dans un moment d'aliénation mentale.

Épilogue

Il s'est fait un noir profond d'où je suis sorti dans la lumière immense.

Aux côtés de Tshe Manitout le bienfaisant, j'habite maintenant, au-delà de la vie, les Terres de Bonnes Chasses.

J'y ai retrouvé tous ceux des miens morts avant moi. J'ai la faveur de tous les Manitout du Tshe Manitout divisible et infini, pour avoir mené au nom de mes tribus un combat héroïque et sans issue.

Ici, j'ai appris tous les événements de toutes les vies qui m'étaient chères. Les angoisses de ma femme, le remords de mon fils presque transfuge lorsque la balle du Blanc lui retira toute vie. Et les pénibles étapes de la mort de mon fils aîné lorsqu'il périt sur une berge solitaire.

Mais je connais aussi maintenant les joies qu'ils eurent tous et le secret désir qui habite au cœur de ma fille encore vivante de retrouver les anciens bonheurs.

Et je possède toutes les sciences.

Celles des sous-bois, celles des rives, celles des eaux, celles des montagnes et celles des vallées.

Tous les mots, innombrables et nuancés, qui furent jamais inventés en ma langue et le rythme de leur expression, voici que désormais ils me viennent sans effort, et je puis tracer sur les écorces, de mon sang inépuisable, les pages de ce livre.

Je vois aussi les entreprises des Blancs en mon pays. Et je vois la misère des Indiens. Et je mesure à leur grandeur exacte les puissances des Blancs, leurs villes, leurs industries, leurs barrages et les routes qui écorchent déjà ma forêt.

Et je ne peux plus douter maintenant que pour troquer leurs haillons pour les blousons de cuir luisant, pour habiter des maisons où nul vent d'hiver ne s'introduit, les Montagnais doivent à jamais renier ce qu'ils furent ou ce qu'ils pourraient être.

Il ne s'agit pas pour les Blancs d'imposer ces choses. Ils ne songeraient même pas à en discuter, tant elles leur apparaissent logiques et bonnes.

Comme autrefois ils offraient des verroteries, des pacotilles contre les pelleteries, aujourd'hui ils offrent à mes gens les néons, les rues pavées et les costumes de terylène.

Et le malheur c'est que mes gens ne reconnaissent pas la folie de ces marchés de dupes.

Ils ne savent pas ce qu'ils donnent en échange, parce que personne ne le leur a dit et qu'il n'est point de mots dans la langue des Blancs pour décrire une richesse dont ils ignorent même le cours.

Ni les gens des réserves, ni même les Blancs de la ville n'ont appris pourquoi j'étais mort. Et le Grand Chef Blanc n'a point perdu la face.

Il n'a même jamais reçu mes messages.

J'écris donc aujourd'hui ce livre de sang. Point ne sera besoin qu'on le lise. En mon au-delà, je puis faire en sorte que chacun des mots de ma langue tel que je l'inscris sur ces écorces trouve écho en l'un de mes descendants et que, par le juste retour de tout remords, celui-là transmette le récit.

Mais mon peuple est si petit et les autres peuples si grands que ce récit ne produira pas plus d'effet que n'en a une pointe de flèche taillée dans le silex, dormant dans la vitrine d'un musée pour l'ébaubissement de curieux qui n'en comprennent point l'antique importance.

Ashini
Fidès, 1961
© Succession Yves Thériault

CUL-DE-SAC

Quand l'épervier est venu, depuis un temps déjà j'avais cessé de crier.

Immobile au fond de la crevasse, incapable de me défendre, je suivais, fasciné, les girations de l'oiseau.

Puis il vint raser les bords de la faille et commença de monter confusément en moi une horrible réalisation.

Que ferait cet oiseau?

Je connaissais la réponse mais je ne voulais pas y croire. Je chassais la peur, je me disais, «non, il remontera, il cherchera ailleurs. Il a été curieux, c'est tout. Il va s'envoler vers les hauts de la rivière. Il y a des oiseaux là-bas sur lesquels il peut fondre...»

J'oubliais que ces oiseaux n'étaient pas des proies faciles.

J'oubliais que mon impuissance même était une attirance pour l'épervier.

Et qu'il avait perçu l'odeur du sang.

Il revint.

Il apparut au ciel, point noir très haut. Selon son habitude atavique, il avait éprouvé le besoin d'accomplir pour moi comme pour toute proie de survie le même geste rituel de s'élancer haut dans le ciel, de tourner une fois, puis de plonger.

Ce fut un instant horrible. Je le voyais descendre, grossir de seconde en seconde. Puis il fut là, et l'instant d'après son corps arqué vibrait à ma portée, ses ailes battaient horriblement sur les parois de granit, ses serres étaient tendues, toutes griffes ouvertes, et son œil froid.

Le temps de compter: une, deux... À trois, les serres agrippaient un lambeau de chair sanguinolente autour de mon tibia découvert.

La douleur n'atteignait pas encore mon cerveau que l'oiseau s'envolait, disparaissait.

C'était diabolique, un cauchemar. J'avais battu du bras comme il battait de l'aile, frappant l'oiseau, tentant de le repousser. Mais il était puissant et n'avait cure de mes faibles défenses.

La plaie à ma jambe saignait abondamment et maintenant le mal se tordait en moi, me parcourait, me soulevait en soubresauts terribles.

L'oiseau reviendrait.

La vérité m'apparaissait, énorme, implacable: il reviendrait. Je le verrais réapparaître dans le ciel. De nouveau il accomplirait un cercle, comme s'il mesurait l'évasement supérieur d'un entonnoir.

Puis il plongerait.

Il plongerait encore une fois et encore une fois il viendrait arracher un lambeau de chair.

Et ce serait ainsi, petit à petit, qu'il me détruirait, bête cent fois inférieure à moi, et pourtant puissante. Pour une fois capable de s'attaquer à l'homme impunément.

Combien de générations de vengeance couvée! Quelle immense satisfaction pour cet oiseau que de se mesurer enfin à l'homme prédateur de qui il a appris la peur. Et voilà que le Roi, le Maître, gisait sans défense au fond de son trou. Pour l'assaillant du haut ciel, la satisfaction ultime, le bien acquis de pouvoir, lui épervier du Grand Nord, fondre sur moi!

Se savait-il à cet instant-là vengeur de toute son espèce?

Se savait-il puissant parmi les puissants?

Concevait-il ma fin non seulement comme une pâture mais comme un accomplissement?

Étais-je pour lui un symbole, ou une survie?

Perché sur quelque haute branche, il était à dévorer ma chair. Il en déchiquetait la viande, mâchait les fibres des muscles. Combien lui en faudrait-il avant que d'être repu?

Appellerait-il d'autres éperviers à cette curée? Ou d'autres oiseaux de proie? Serais-je un festin pour des centaines de becs et de serres?

Je vomissais d'épouvante. Je souillais le granit. Tout le moi humain était révulsé par une peur atroce, par le mal que je prévoyais, cette mort à petit feu, tout mon être détruit lambeau par lambeau. La jambe d'abord, puis la cuisse, et le ventre et les membres.

À quel moment perdrais-je conscience?

À quel moment la mort viendrait-elle me délivrer?

Je n'avais plus qu'un souhait, voir plonger cet épervier, sentir ses griffes m'arracher la vie d'un coup. Je ne voulais qu'une chose, ne plus souffrir, ni du mal physique, ni de la peur...

Et tout ce temps je tentais de nouveaux efforts, j'essayais de me retourner, d'escalader en m'aidant d'une main seulement, ce granit qui me retenait.

Et je vomissais ma bile derechef, j'en enduisais la paroi déjà lisse. Plus que jamais j'étais impuissant.

Et je crois que je criais. Je le suppose parce que je ne saurais en jurer. Au dedans de moi-même, je sais qu'il y avait un râle énorme, une clameur d'épouvante. Je ne sais si elle sortait de moi, si elle réveillait des échos.

Puis l'épervier revint dans le ciel.

Il n'était pas repu.

Il plongea.

Le seul espoir qui me restait — oh, bien ténu — disparut.

J'avais cru un moment très fugitif, que mes vêtements empêcheraient l'oiseau de me dévorer vivant.

Quand il plongea, cette deuxième fois, que ses serres agirent de nouveau, il arracha bien un lambeau de chair vivante, mais aussi un lambeau de vêtement, dénudant davantage la plaie.

C'en était fait. À chaque plongée, il progresserait de cette façon. Ni moi, ni mes cris, ni mes gestes, ni mes vêtements ne seraient une défense.

Il lui faudrait des heures, mais il m'achèverait.

Cul-de-sac
© Les Quinze, 1981

LA FILLE LAIDE

....

À partir de cette minute-là où Fabien avait dit à l'Edith qu'elle n'était qu'une femme laide, la fille vécut des jours mornes.

Elle les vécut immobile.

La besogne faite, elle allait s'étendre sur l'herbe en avant de la maison, dans les derniers soleils du tard été.

C'était octobre et l'air était bon.

Elle couchait l'enfant contre elle, chair contre chair, et elle ne bougeait pas.

Une fois, Vincent-la-grosse-tête vint, mais quand il se mit à lui parler de l'enfant, elle bondit et le chassa en lui lançant des pierres.

Quand Fabien entrait, elle ne parlait pas.

Parfois, elle approuvait de la tête, ou disait non, quand il lui parlait du travail à faire, ou des choses à décider.

Mais autrement, elle ne lui parlait plus.

Un matin que Fabien était aux champs pour les labours d'automne, et avant de sortir au soleil comme chaque jour, elle brisa tous les miroirs dans la maison, puis elle monta dans ce qui avait été la chambre de la belle Bernadette, et elle déchira les draps du lit en un accès de rage sauvage.

Puis elle alla s'étendre de nouveau au soleil, se faisant chauffer le ventre, mais en se cachant le visage sous le bras replié.

L'enfant dormait à ses côtés.

Les semaines et les mois passèrent. L'hiver vint, puis vint aussi l'autre printemps.

L'enfant croissait.

Maintenant, il avait un an, et il était costaud, mais flasque, ne remuant presque pas.

De la chair sans vie, de la chair sans joie.

La fille laide
© Les Quinze, 1981

LE DERNIER HAVRE

Récit

Depuis mai, je prenais à pied par le bois et par-dessus le cap, et je venais au Trou-Bourdon.

J'y avais caché une barque.

Qu'importe d'où elle vienne, puisqu'elle était là et que je pourrais, dès juin venu, recommencer...

Partout sur la Côte, les hommes ont réarrangé les baies, les anses et les caps : ils ont taillé dans le granit et aplani des falaises. Leurs routes sillonnent nos pays, leurs maisons d'asbeste et de brique ont remplacé souvent nos maisons anciennes, couleur de temps mauvais, couleur de mer hargneuse.

C'est leur droit, mais il reste bien peu des temps d'autrefois, alors que nous allions à la morue en petites barques, que nous revenions plus riches, ou plus pauvres, mais que la mer était à nous et ses rives pareillement.

J'ai trop d'âge, disent tous ceux de ma famille, je ne parle que du passé, j'ai refusé d'apprendre les mots modernes.

Quand passe un chalutier, au large de la maison du fils où il faut bien que j'habite, je crache par terre.

Ils me disent que je suis fou, que c'est le progrès, un chalutier, la marque du temps moderne, la prospérité revenue...

Quelle prospérité?

Des chaînes, des pièges, la servitude : appartenir aux grandes compagnies de poisson, pêcher à la tonne, naviguer sur des bâtiments trop gros pour entrer dans la rade du Forillon.

(Vous l'avez vue, cette rade? Un plat d'eau grand pour vingt embarcations, mais solidement faite, qui dure depuis mon âge d'enfant, dans laquelle nous entrions autrefois en chantant, le fond de la barque couvert de morues grasses, de plies, de maquereaux. Le jeune Babin, et puis Horace, Engelbert, le vieux Gaul et ses deux garçons, et moi, et le mari de ma sœur, et mon cousin Réginald... Vivre, tu comprends? De la mer et avec la mer.)

J'aurai quatre-vingts ans, me dit-on, quand viendront septembre et les vents d'est transportant du salin; les grands vents qui rasent la côte à niveau d'herbe et couchent le mil sauvage comme s'il était lissé en place par une immense et large main.

Quatre-vingts ans.

Je m'en compte plus, pour ma part, mais je ne dis rien.

Je suis venu des Hauts quand j'avais à peine treize ans, parti des colonies pour venir pêcher. Je me fiais aux récits des survenants qui parlaient des barques. (Ils disaient: «les barges»...)

J'aimais déjà la mer sans l'avoir jamais vue.

Tout ce que disaient ces pêcheurs montant des rives pour aller en forêt pour les compagnies, je l'avais bu comme vin de consécration: la couleur de la mer en juin, la grosseur des morues, la bonne senteur du vent, les tempêtes et le doux temps, l'âcreté des fumeries, l'aspect des vignots à perte de vue où séchait la morue salée. Il n'était de passant que je ne retienne par le bras pour me faire dire tout ce qu'il savait des grèves et des caps, de la lumière des phares et des chansons que se chantaient les hommes solitaires, partis vers le grand large dans une barge de mer pour y demeurer cinq jours et revenir cale pleine.

J'avais treize ans quand je vis pointer à mon horizon, dans le sentier de forêt que je suivais depuis sept jours, le clocher blanc de l'église de Cap-des-Rosiers.

Et me voici riverain, me voici marin, me voici pêcheur, me voici homme de mer à jamais.

Une septantaine s'est écoulée depuis ce temps; je n'ai jamais regretté d'avoir quitté. Je dis septentaine, ai-je bien quatre-vingts ans? Dans les colonies, on tenait peu de registres. Au moment où je suis né, il s'en fallait de beaucoup que le siècle ne soit révolu. Ce qu'on m'en a dit, j'avais soudain douze ans, puis treize, mais grandeur et force d'homme. N'en aurais-je pas eu plutôt dix-sept, ou dix-huit? Qui sait... Quatre-vingts ans aujourd'hui, n'est-ce pas plus près de quatre-vingt-dix qu'on ne le croit?

Tant que bat le cœur et que vient le souffle dans la poitrine; tant que je puis errer dans les pentes les plus abruptes de la montagne, ou du promontoire de la Vieille; tant que je puis dégringoler le cap Bon-Ami avec des jambes de jeune, pourquoi oserait-on me dire vieux? Trop vieux?

Trop vieux pour pêcher.

Trop vieux pour des labeurs.

Trop vieux pour vivre.

Voilà; et on le dit presque. Trop vieux pour vivre, on me le fait sentir. J'ai mon coin dans la cuisine, autrefois — il y a moins de dix ans, moins de cinq — on m'y laissait en paix. Maintenant, ma bru s'impatiente. Elle va polir le parquet neuf et luisant, elle a besoin de ce coin pour sécher une lessive d'hiver, elle a besoin de ma chaise... Je vais ailleurs, j'erre dans la maison, je reste des heures assis au bord de mon lit...

Quand vient le doux temps, je sors tant que je peux.

Au début, je n'allais qu'au village, c'est à portée de cri. Je parlais avec d'autres vieux. Eux se résignent, ils m'écœurent. Ils ont renoncé à la pêche, aux barques: je me rends compte qu'ils ne regardent même plus la mer, ils lui tournent le dos. Chaque mois ils touchent la pension du gouvernement. C'est plus d'argent à la fois, mois après mois, qu'ils n'en ont jamais tenu dans leurs mains. Ils donnent cet argent à leur fils, à leur bru, à leurs petits-fils; ils ont démissionné.

«On a un bon lit, la table trois fois par jour, du fumage, on veut rien de plus.»

C'est d'avoir abdiqué.

Pendant ce temps, les chalutiers sortent sans eux, sortiront à jamais sans eux. Pourtant, ils ont l'œil pour la mer et la morue, ils savent d'instinct les bons bancs, ils sentent le poisson en mer comme le loup des Shickshoks hume à cinq milles le sang frais.

Sur les chalutiers, il y a le sonar qui, prétend-on, explore magiquement les fonds, montre les bancs de poissons, leur largeur et leur longueur: c'est la science, c'est le progrès. On n'a plus besoin du flair des anciens. On n'en aura plus jamais besoin.

La vie qui s'écoule.

Je me suis vite lassé d'aller retrouver les autres vieux de ma sorte. Nous n'avions plus rien à nous dire. Ils refusent souvent de parler du passé, ils ont oublié le rythme de la mer. Ils prétendent ne plus se souvenir du temps des Îles, quand nous allions si loin au large que nous rencontrions les gens des Madeleines et que nous échangions les nouvelles d'un bordage à l'autre. Ils ont tout oublié.

L'an dernier, j'ai découvert une barque échouée dans l'anse à la Vieille, presque au bout du Forillon et de l'autre côté du cap Bon-Ami.

C'était une épave, mais la coque tenait encore; elle n'avait pas trop souffert du soleil, ses bordages n'étaient point pourris, ni sa membrure. Elle avait été une bonne barge de pêche, une embarcation sûre, qui danse comme un bouchon lorsque la vague est revêche et qui connaît quand même les bons usages qu'on attend d'elle: la protection du pêcheur, l'espace de cale où jeter le poisson pris, la docilité de manœuvre et la bonne rentrée au port, le soir venu.

Était-il mort, ce pêcheur ancien qui avait mille fois quitté un havre à l'aube pour n'y rentrer qu'au bas soleil? Se souvenait-il de sa barque? Et qui donc avait ainsi abandonné une coque à son sort? Quelque fils inconscient? Ou un autre peut-être, un étranger, venu plus tard, acheteur de barges, qui avait trollé pendant un temps selon l'usage, puis s'était embauché sur un chalutier pour laisser ensuite la barge périr, solitaire, sur une grève d'anse quelque part dans les amonts?

Je ne saurai probablement jamais à qui fut cette barge et quelle main en tint la barre. Je sais seulement que celui-là a commis le vrai sacrilège que les anciens de mon sang n'eussent jamais commis: il a laissé partir cette coque à la dérive, et il n'aurait pas dû; car plutôt que de l'abandonner ainsi, il convenait de la brûler, comme on brûle les drapeaux après la défaite.

Mais qu'importe?

La barque est là. D'une certaine façon, son histoire commence peut-être. Elle était échouée, elle croyait pourrir solitaire, elle ne mourra pas.

Pas tout de suite.

C'est son répit, son dernier répit, l'effort ultime.

Son répit à elle, dis-je, et aussi le mien.

Surtout le mien.

Le dernier havre
© Les Quinze, 1982

LE DOMPTEUR D'OURS

....

Cela fut rapide, et fait en silence.

Il ne se trouva pas d'hommes ou de femmes dans ce village perdu, où peu d'étrangers venaient qui ne fussent point déjà connus à force de visiter régulièrement la région pour les besoins de leurs affaires, qui ne surent bientôt qui était — quel était — cet Hermann.

Un homme qui venait ainsi carrément dans le village, avec des yeux pour tous, offrant ses talents, demandant à boire et à manger sans ambages, affirmant pouvoir étrangler un ours de ses mains nues, un homme comme Hermann, il ne s'en était jamais vu de mémoire de chrétien.

Et quand, chez le marchand Dumoulin, quelqu'un avait souri en entendant parler d'étrangler des ours, calmement Hermann avait marché jusqu'à un baril contenant de longs clous de six pouces, et il en avait pris deux. Pas seulement un, mais deux, un dans chaque main, et avec seulement la pression de ses doigts, il plia lentement les clous, et les jeta par terre.

— Maintenant, dit-il, qui me croit?

Un grand silence les avait envahis. Ils ne pensaient plus, ils ne bougeaient plus. C'était un miracle, personne n'avait le droit d'être si fort. Et comme songeait la femme de Cabirand, si beau.

À sa façon, Hermann était beau. Trapu, balourd, mais beau. Beau surtout à cause de sa carrure, de ses longs cheveux, de la peau brune, des yeux et des dents blanches, éblouissantes derrière les lèvres rouges. Beau parce qu'il ne ressemblait à aucun des maris de ce village, à aucun des hommes appartenant aux femmes présentes en cette échoppe de Dumoulin.

Quarante ans, l'âge des belles sciences, de la connaissance des gestes. Rien de la fougue emportée du jeune dieu, mais le calme réfléchi, calculé, et la force, et ces yeux, et la voix, et tout. Et tout.

Lydia, quand les deux clous tombèrent sur le parquet, sortit en trois pas brusques, comme jetée dehors, comme projetée hors d'une orbite.

Et elle courut presque vers sa maison. Rendue là, elle se tint devant le grand miroir, le corps mince bien raide, bien cambré, le visage comme fou.

«Tu le sais, dit-elle au miroir, tu le sais que ça compte la force. C'est de vouloir être serrée. Ça commence comme ça et ensuite ça gagne le fond de l'âme. Ça commence autour des reins, le long du dos. Être empoignée comme un fétu!»

Et elle se mit à pleurer, parce que, soudain, tout devenait impossible.

Le dompteur d'ours
© Les Quinze, 1980

44

LE MERDIER DE VÉRIN

Et comme le vent avait à la fin envahi le ciel et bousculé les nuages devenus de grosses masses spongieuses ourlées de soleil, Vérin cessa de maudire le temps sombre et, en montant la pente, il se prit à écouter le chant neuf des oiseaux.

Et à sourire. Et à bien dire cette fois du beau jour qui se façonnait.

Puis la terre se mit à chanter.

D'abord, Vérin ne distingua pas ce chant du son du vent ou des trilles d'oiseaux. Mais comme il s'arrêtait pour souffler un peu, il entendit bien que ce chant était neuf et sourdait de la terre. Un long son joli que d'emblée Vérin ne sut orienter.

Venait-il de ce roc? du monticule? de la pente herbue et lisse à gauche ou du plateau plus avant où se dresse la première maison du hameau?

Il ne pouvait savoir et chercha longtemps. Il s'engagea même dans la grimpée, arrivant au hameau, dans son plein centre où il y avait les femmes, et au fond — quand reprend le chemin de montée vers les crêtes — où il trouva deux hommes. Orébor, venu d'Orient aux anciens temps de la montagne, et Moreux, qui épousa sa propre sœur.

Seulement, ils n'ont pas l'air d'entendre le son.

«La terre chante», dit Vérin aux femmes.

Alors, elles ont ri, bien sûr. Vérin est crochu et malingre. Fort, puissant même, mais noué. On le croirait branche fourchue et sans bois mais il soulève une génisse dans ses bras.

N'étant pas moites de lui, les femmes le raillent. Les hommes, qui savent sa force, l'écoutent mal mais le respectent.

Il dit aux hommes:

«La terre chante. Vous ne l'entendez pas?»

Ils hochent tous la tête et seul Breton Mourgan répond.

«Mais si, si, je l'entends…»

Vérin voit bien qu'il ment, qu'il n'entend pas la terre chanter. Alors, il va derrière le hameau où se prolonge le grand plateau fertile à la terre meuble, et il cherche le son. Puis il le perçoit qui vient de là même, d'un endroit qui se pointe, un repli du sol où croissent des muguets à l'ombre d'un bosquet de genièvre.

Vérin s'accroupit. Il écoute chanter la terre et c'est très beau. Il y dort le reste du jour, fourbu de son voyage à la vallée en bas, presque à la plaine. Il dort des heures, que s'aille coucher le soleil et qu'au réveil Vérin soit en belle nuit au ciel d'étoiles et de doux vent tiède.

Mais la terre ne chante plus. Vérin rentre chez lui, mange bien mais se sent la tête pleine de noir. Il a souvenance du son. Il en a joui de toutes ses fibres. Il craint l'aube et de ne plus jamais entendre le chant.

Est-ce ainsi qu'est née l'idée, et le projet de l'idée? Vérin lui-même n'aurait jamais su dire quand lui est venue la résolution d'aller chercher ce son de la terre. Il sait tout juste qu'au matin il est reparti vers le plateau et le bosquet de genièvre, pelle et pic en main, et qu'au temps des bergers qui égaillent les troupeaux pour en vérifier la santé au nouveau jour Vérin a déjà creusé profondément dans la terre qu'on ne lui voit plus que la tête. Et il a creusé large autant que profond. Un trou qui sera immense. Il se dit en tête que cette musique si belle ne peut habiter que de vastes souterrains. Il creuse donc à l'avenant, en quête de splendeur.

Et viennent les gens du hameau, informés par les bergers.

Viennent les femmes, puis les hommes, les enfants et même des vieillards.

Et Vérin est au creux de cette fosse immense, tout loin en bas déjà, la pelle projetant la terre bien haut, tant qu'elle vole à la face des curieux comme du sable de désert pendant les simouns.

Une femme crie:

«Tu plantes la tomate, Vérin?»

Une autre renchérit:

«C'est un chêne qu'il plante. Le plus vieux du monde. Le plus grand du monde.»

Un homme ricane (c'est Orébor):

«C'est un merdier que tu creuses, Vérin? Il en faudra des tonnes pour le fournir, et plein un pays de merdeux.»

Mais Vérin n'entend goutte. Il a l'habitude. En ce hameau de montagne, il n'y a que rires et quolibets, moqueries et insultes pour lui. Depuis qu'il est enfant. Parce qu'il a les bras en torsades, le dos bossu, qu'il est trop grand sur ses jambes de nabot… Et qu'il sait parler des choses belles et des fleurs qui s'ouvrent et des oiseaux qui nidifient.

Qu'ils soient là, autour de ce trou, à le railler ne l'émeut pas. Il vide cette terre, il cherche le chant qui ne vient plus, il trépigne de désespoir. Il ne comprend pas pourquoi il fut le seul à l'entendre et qu'après en avoir reçu tant de joie il doive en être privé.

Et il creuse, les insultes pleuvent, les moqueries se font de plus en plus cruelles.

De ce qu'il perçoit, Vérin en ressent un grand mal. Était-ce donc ainsi, son destin? D'être rejeté par les siens, d'habiter ce pays d'aridité, de pentes qui rebutent et de pauvres troupeaux? Sans jamais avoir eu de femme, et qu'on lui crache dessus de n'être point comme il le faut?

Il creuse tant et tant et avec une telle puissance que soudain la terre se met à trembler. Quelque faille s'est ouverte dans les tréfonds, des plaques oscillent et se chevauchent, toute la montagne est prise d'un grelottement qui fait balancer les crêtes contre le ciel aujourd'hui bleu.

Et les orées de ce grand trou où se penche la population entière du hameau de Vérin se désagrègent: hommes, femmes, enfants et vieillards glissent d'un coup en hurlant vers les profondeurs. Vérin s'extirpe d'eux, grimpe tant bien que mal et se retrouve sur le roc solide pendant qu'une avalanche descend à la vitesse du vent et vient combler le trou et comme bâcher les cadavres.

Ne restent plus dans cette montagne que chèvres et moutons, et deux lointains bergers qui accourent, affolés.

Puis de la terre monte un chant nouveau, triomphant cette fois. Ce n'est plus une musique lente et douce, et envoûtante, mais un éclatement victorieux.

Alors Vérin comprend ce qui est à comprendre et, tout serein de la vengeance offerte, il essuie la sueur de la tâche en gestes patients et quiets.

«Le merdier de Vérin»
Publié dans
NBJ – Le fantastique
Nº 89, avril 1980
© Succession Yves Thériault

KESTEN

J'avais libre vent et mes foulées franches, mais c'était autrefois, il me semble. C'était il y a longtemps, en tout cas. Savoir compter le passage des nuits aux jours et des jours aux nuits, qu'en dirais-je de ce temps?

Que j'y vivais sans contrainte?

Il y a toujours des contraintes. Je fus d'abord près de ma mère et je ne pouvais m'éloigner qu'elle me rejoignait et me menait vers les meilleures herbes. C'était ma vie. J'étais poulain, mes jambes étaient trop droites, trop raides. Je portais haut la tête, mais d'un air seulement provoquant, je n'avais pas encore appris la fierté.

Cela vient plus tard, cela ne doit venir que plus tard: il a fallu tout de même un an pour que je me découvre tel que j'étais. Pour que le châtreur m'épargne, surtout, et que je reste — ou que je devienne? — l'étalon que je devais être.

On vantait le lissé de mon poil, son noir brillant, la solidité de mon poitrail, l'arc de mon cou.

Et je savais bien, quand je secouais ma crinière un jour de soleil, en galopant d'un bout à l'autre des pâturages, que je soulevais l'admiration de l'homme qui m'observait de loin, appuyé contre la clôture. On le disait mon maître. C'est ainsi que ma mère le nommait, mais je n'ai jamais su s'il l'était. Je le voyais chaque jour, ou presque, il me regardait, silencieux, mais je ne savais pas s'il était content.

Parfois lui, parfois un autre, venait me porter de l'eau, lorsque le bassin naturel était tari aux jours trop chauds et trop secs. Il tenait le seau à ma hauteur, ne traversant jamais la clôture. Quand il cherchait à me toucher pendant que je buvais, je m'esquivais aussitôt. J'avais horreur de cette chose blanchâtre, mobile, trop vive, qui se nomme une main, m'a-t-on dit, et que les hommes aiment à porter souvent sur les chevaux.

J'avais horreur des gestes que l'on faisait autour de moi, tous les gestes. Les autres poulains dans l'enclos, tant qu'on les y laissa, je m'en suis tenu loin. Lorsqu'ils approchaient, je me cabrais, je les menaçais de mes sabots et ils s'enfuyaient. Je haïssais leur démarche humble, leur servilité envers le maître. Quand ils mangeaient dans sa main comme des chiots affamés, j'avais honte pour eux.

Et s'ils venaient bouger autour de moi, je devenais exaspéré, je cherchais même à les mordre pour qu'ils me laissent en paix.

Quand j'eus deux ans, jamais plus l'on ne me mit paître avec eux. J'étais seul dans mon enclos, je n'aurais plus reconnu ma mère et je pouvais humer le vent du ciel les naseaux hauts, libre, roi de mon propre domaine.

J'étais un étalon.

On disait même que je pourrais un jour cracher le feu, et que personne ne m'approcherait plus.

L'homme, mon maître, et moi, nous étions plus éloignés que jamais.

J'avais, enfin, libre vent et mes foulées franches.

Mais les avais-je, vraiment?

Kesten
© Libre Expression, 1979

AGAGUK

INU-OYOK — il est un homme

Plus vite encore que l'enfant blanc dorloté, l'enfant des villes à qui l'on enlève la moindre initiative animale, Tayaout croissait. Il rampait presque facilement. Ses mains étaient agiles et pouvaient saisir les objets. Son visage était éveillé, ses yeux brillaient.

Aux sons qu'il faisait, grognements et gloussements, il ajoutait parfois des exclamations quasi articulées. Il parlerait tôt, mais il n'était pas en cela différent des autres petits Esquimaux. Laissé à lui-même, habitué dès les premiers temps à pourvoir à ses envies et à ses besoins, il avait tôt appris à se rouler, à s'aider de ses jambes pour ramper de-ci de-là. Il y avait un monde neuf sur la mousse, un pays qui lui appartenait et avec lequel il communiait intimement. Les insectes, les rares plantes crevant le tapis frais, l'eau bruissante du ruisseau, les miroitements et les reflets, tout ceci était à son niveau.

Déjà il savait se garer d'un coup, ou rouler à quatre pattes en criant de frayeur quand un vison bondissait hors des buissons sur la toundra.

Un enfant blanc eût mis bien des mois à atteindre à cette habileté. Deux fois plus de temps que Tayaout qui, à six mois, alors que le soleil d'été était chaud et que le vent tiède enfonçait plus creux encore le *permafrost* sous la mousse, alors que, bien nourries, les plantes surgissaient plus haut et que les fleurs égayaient la toundra, se tint debout pour une première fois.

Agaguk avait été béat de vénération devant l'enfant nouveau-né, petite masse animale à peu près informe, sans voix définie, sans sourire, à la merci de tout et de tous. Il en avait suivi l'évolution, il s'était pâmé devant le bambin qui avait appris à ramper, à courir à quatre pattes comme un renardeau.

Mais quand Tayaout se tint debout, quand Agaguk l'aperçut ainsi, agrippé à l'un des montants de la hutte et criant de joie, il devint comme fou.

Il bondit vers l'enfant, l'empoigna, l'éleva jusqu'à sa poitrine et se mit à courir en hurlant, cette façon bien esquimaude d'extérioriser les sentiments qui se pressent dans la gorge. Il courait en rond, par seule joie animale, il criait sans mots, un son de bête joyeuse et reconnaissante. On eût dit un chien que la caresse du maître rend fou.

Iriook, debout devant la hutte, criait à son tour, avec la même impulsion d'instinct. Elle criait de voir la joie d'Agaguk, elle criait de savoir que l'enfant marcherait dans peu de temps. Elle criait sans bien savoir pourquoi: parce qu'elle était vivante, parce que le soleil était chaud et parce que son mâle criait.

Agaguk mit de longs instants à se calmer. Quand il vint finalement se jeter sur la mousse devant la hutte, il haletait comme un chien vanné.

— C'est un homme, gémissait-il. Regarde, Iriook, c'est un homme.

Il remettait l'enfant sur pied, lui tenait les mains, et Tayaout debout riait de sa nouvelle prouesse. Il le fit avancer. Un pas, puis deux, l'enfant trébucha, se retint, en un tour de rein se remit debout.

— Il marche, s'exclamait Agaguk. Il marche!

Iriook vint s'accroupir près du petit. Elle roucoulait des mots doux au fond de la gorge. Elle touchait à l'épaule nue du bout de ses doigts.

L'enfant, extasié, buvait du soleil à grands rires, la tête renvoyée en arrière, la gorge palpitante. Son torse ferme et déjà trapu se bombait sous l'effort. Ses deux jambes arquées, mais dures et rondes, se tendaient, les muscles allaient sous la peau. Il esquissait des pas maladroits, il ne savait comment poser le pied par terre, mais il avançait peu à la fois, ses doigts serrés autour des doigts d'Agaguk.

Un oiseau plongea du ciel, vint raser la hutte, obliqua vers l'enfant, l'effleura de son aile.

Tayaout eut un cri, sa main s'élança dans le vide, l'autre main aussi lâcha les doigts d'Agaguk, et il se trouva soudain sans soutien, oscillant en un équilibre instable, le visage tourné vers cet oiseau qui s'envolait et vers lequel il avait tendu les bras.

Pendant le temps d'une vie, sembla-t-il, l'enfant resta ainsi, petit d'Inuk tout fier sur la toundra sans fin.

Agaguk et Iriook avaient été pris par surprise et maintenant ils ne soufflaient plus, ils avaient comme cessé de vivre; tout en eux s'était enfui, habitait le corps de l'enfant. Ils devenaient sa volonté, son équilibre, la durée et la complaisance de sa réussite.

Puis l'enfant tomba.

Bien assis — un ploc sourd sur le sol — mais la joie qu'il avait était grande, et Agaguk vit perler deux larmes sur les joues d'Iriook.

— Il s'est tenu debout, dit-elle. Tout seul! Il était debout... Il aurait pu marcher. Personne ne l'aidait!

Agaguk ne trouva qu'un mot, le seul.

— Inuk!

C'était un homme, enfin.

Agaguk
© Les Quinze, 1981

LA BROUETTE

Quand Bruno parlait de sa brouette, il le faisait avec une voix de respect qu'on ne lui connaissait pas autrement.

— Je la tiens de mon propre père.

Il l'avait dit si souvent que personne dans le village n'osait plus l'ignorer.

«De mon propre père, qui l'a faite de ses mains.»

Bruno a soixante ans. Selon le récit, son père avait fabriqué la brouette le mois même suivant son mariage. En chiffres ronds, une brouette centenaire.

Mais solide, cet instrument, comme neuf, tant d'abord le père en avait pris soin, tant aussi le fils, aujourd'hui Bruno avait continué le respect. Car il fallait en revenir à ce mot, le seul qui pût décrire les relations entre Bruno et la brouette: il s'agissait d'un profond respect envers un véhicule utile, bien charpenté, non sans une certaine élégance.

C'était plus encore que le respect filial, une admiration tout à fait raisonnable pour cette brouette faite de bois de chêne que les ans, au lieu d'attaquer, préservaient on eût dit. La roue surtout était un objet à susciter l'étonnement. Construite en tous points comme une roue de charrette, elle en avait la jante épaisse, bandée de fer, les rayons trapus, et le moyeu énorme, de bois lui aussi, ressemblant à deux cônes tronqués aboutés par le gros bout. Pour retenir l'axe sans dommage, un tubage de fer passait au centre, souvent lubrifié.

Les soins, le respect, le bon usage avaient gardé à la brouette son air de jeunesse. Tous les hivers, au temps de loisir, Bruno repeignait le bois du véhicule, non sans d'abord gratter la peinture de l'année précédente. Un labeur d'amour.

— Avec une brouette comme ça, disait-il, un homme peut travailler.

C'était vrai d'autant plus que la brouette était énorme. À la mesure des muscles anciens qui n'avaient pas, comme les muscles modernes, le sens du raccourci.

— Dans le temps, disait le maire chaque fois qu'il voyait passer la brouette, un homme, c'était un homme. Ça regardait pas à l'ouvrage, d'un soleil à l'autre.

Demeules, le marchand, vendait des brouettes de métal, munies d'un pneu. Un pneu, quand on pense! Il aurait fallu trois brouettées de Demeules pour remplir la brouette de Bruno. C'étaient pour les jeunes, des outils pareils. Bruno, lui, vert encore et grand comme un orme, avec des bras comme des mancherons de charrue double, s'accommodait bien de la grande brouette.

— Oui, monsieur, avec une brouette comme ça, un homme peut travailler!

Si bien qu'on en était venu tout doucement, sans se concerter le moins du monde, à confier à Bruno justement les tâches qui reviennent normalement à celui-là qui s'aide d'un tombereau et d'un cheval. La brouette transportait presque autant, et, sans cheval, le coût de revient était moindre. Tout cela compte.

Le creusage du fossé, vis-à-vis de la maison de la veuve Hurteau, ce fut Bruno qui s'en chargea. À la petite pelle, mais ça valait une pelle à cheval. Et il portait la terre de l'autre côté du chemin, dans le défaut de côte, toujours avec la brouette. On n'en finirait plus de raconter tous les travaux dus à Bruno. Il gagnait plus que son sel seulement à travailler pour la municipalité. Au salaire qu'il demandait, tout le village pouvait se permettre des améliorations et la population remerciait Dieu d'avoir donné à la municipalité du village de Saint-Léonide, justement Bruno, justement la brouette, et la bonne besogne accomplie par les deux.

Ainsi va la vie.

Mais qui a dit que l'état parfait sait subsister jusqu'à l'éternité? Nous sommes des êtres périssables, dans une société caduque. Il en est ainsi depuis Adam. Nous tendons à l'équilibre parfait mais il n'est jamais atteint, bien sûr, et les choses les plus logiques, les plus attendues, arrivent à disparaître.

Ainsi la brouette.

Ce fut l'affaire d'un seul instant. Ce jour-là, Bruno pierrotait la côte du bac, souvent en besoin de radoub, parce qu'elle est abrupte, mais aussi parce que les camions dévorent le fond du chemin avec leurs gros pneus doubles et leurs charges trop pesantes.

Bruno pierrotait, la brouette était au milieu du chemin. C'était un bon moment, le bac était de l'autre côté et la côte était déserte. Est arrivé un camion-citerne venant de la ville. Un étranger au volant, pour sûr, ignorant des usages à Saint-Léonide. Il est entendu qu'on attend le bac sur le chemin pavé, en haut. C'est l'habitude. Il n'y a pas d'affiche, il n'y a rien pour le dire, mais on le sait, parce que c'est comme ça depuis toujours. Bruno, évidemment, comptait là-dessus. Mais le conducteur du camion-citerne ne savait rien de tout cela, ce qui est la rançon d'être un citadin. Il a enfilé d'un coup dans la côte, sans presque regarder. Quand il a vu la brouette, il était trop tard. Oh! il a freiné, il a bien tenté de l'éviter, mais d'un autre côté, encore du fait d'être un étranger, pouvait-il estimer si précieux cet objet? Il n'était pas pour se tuer non plus, risquer de capoter et qui sait quel liquide inflammable était dans les réservoirs? Vous comprenez ce que je veux dire... Il a fait son possible, mais ce n'était pas un gros possible. Du coup il a écrasé la brouette.

Il l'a écrasée, il en a fait des allumettes. Il ne restait rien de serviable, même pas la roue. Disons aussi que du bois de cent ans, c'est solide à ne pas pouvoir y planter un clou, mais aussi ça s'effrite mieux, ça casse, c'est comme des os.

Il n'est donc rien resté de la brouette de Bruno.

Et Bruno, pauvre Bruno, qui était là, aussi assommé que s'il avait reçu un coup sur la tête, regardant la brouette. Ma parole, il est venu à un cheveu de pleurer.

Je passe les détails de ce qui a suivi. C'est superflu. Il s'est fait un rassemblement, et le fils du maire, celui qui est électricien et aussi le policier du village, a mis sa casquette à galon pour montrer son autorité, et il est venu faire les constatations.

Il en est ressorti, au bout d'un mois de discussion entre les gens de Saint-Léonide et les gens de Montréal, qu'on donnerait à Bruno cinquante dollars pour la brouette, ce qui était largement payé, au sens de valeur commerciale. Mais l'autre valeur, la valeur intrinsèque, la valeur sentimentale? Tout cela ne s'explique pas bien dans les cours de loi, et le notaire, qui est un homme pratique connaissant bien la mentalité des gens de la ville, a conseillé à Bruno d'accepter le montant. Ce serait, disait-il, pure perte que de plaider. Une telle brouette n'a pas de prix. Mettant en ligne de compte l'utilité, la nécessité même de l'objet, se souvenant que sans lui Bruno était moins utile, qu'avec lui Bruno accomplissait merveilles, bien sûr, la compensation devrait être dans les mille. Mais quelle grosse corporation comprendrait et paierait, pour une brouette, cinq mille dollars, disons? Bruno finit par comprendre, et un beau jour, le chèque de cinquante dollars arriva.

Il arriva sans éclat, on ne le sut même que dix jours plus tard, quand Bruno le mentionna, comme on parle de la température, du gel de la rivière ou des récoltes.

Entre temps, il n'avait pas chômé, pauvre Bruno!

— Une brouette, disait-il, c'est nécessaire. Il m'en faut une autre.

Va chez Demeules, pour les brouettes à pneu. Un homme honnête, un travailleur des bras qui a le souci de gagner son argent méprise de tels instruments. Bruno les méprisa. Il fut chez Valade, où on trouvait encore, dans l'arrière-magasin, des brouettes en bois. Mais elles étaient des produits de fabrique, assemblées à la douzaine, rien qui ressemblât à l'autre, la défunte.

Tanguay le maréchal-ferrant, qui est aussi forgeron, offrit à Bruno de reconstruire la brouette, d'en reconstituer une qui fût en tous points semblables à l'autre. C'était alléchant, d'autant plus que Tanguay est un ancien et qu'il se souvient encore comment on fait les roues de bois bandées de fer.

Bruno n'accepta pas tout de suite. Il demanda à réfléchir. Quand il revint à la forge, la semaine suivante, il secouait lentement la tête, la pipe dans la main droite, les épaules courbées. (On lui voyait l'âge comme jamais. Depuis l'accident, il changeait à vue d'œil.)

— Non, dit-il, j'peux pas accepter. Vois-tu, Tanguay, mon père a fait la brouette de ses mains. Il l'a pas commandée chez Pierre, Jean, Jacques. Il l'a faite lui-même. Le seul moyen de la remplacer, il faudrait que j'en fasse une pareille, moi-même, de mes mains, comme mon père a fait. Autrement, ce serait...

Il cherchait le mot. C'était un grand mot pour lui, dont il connaissait le sens dans le fond de sa tête, mais qu'il n'arrivait pas à retrouver.

— Trahison, dit Tanguay, qui lit le journal.

— Oui, justement ça, une trahison.

— Rien t'empêche d'en faire une, de même, dit Tanguay.

Bruno eut une sorte de gémissement sourd. Ses yeux exprimèrent une grande angoisse.

— J'ai essayé, dit-il, j'ai essayé, mais j'suis pas capable.

Après, personne ne parla plus de la brouette. Nous avons comme ça de la discrétion, une sorte de pudeur. On pouvait bien continuer la discussion, enterrer Bruno de conseils, d'avis divers, mais à quoi bon? C'était son affaire, le problème de la brouette, comment pouvions-nous nous interposer?

Il fallait s'y attendre, on confia moins de travaux au pauvre Bruno. Il n'était plus que la moitié de lui-même, sans sa brouette. Et il y avait autre chose, une chose qui fut d'abord remarquée et mentionnée sans qu'on y ait porté attention. Adéline, du téléphone, en parla, je crois, la première.

— Je le regardais travailler chez le notaire, dit-elle, on dirait qu'il n'a plus de force.

Adeline dit bien des choses. Nous ne l'écoutons pas toujours.

Albert Allain, le boucher, se fit aider par Bruno à l'abattoir. Cinq vaches à tuer pour un boucher de la ville. Lui aussi remarqua le peu d'ardeur de Bruno.

— C'était un homme à lever un quartier sans souffler. C'est à peine s'il pouvait prendre son bout.

De fil en aiguille — de semaine en semaine aussi — la rumeur grandit.

Même le notaire en parla. Or, comme c'est un homme peu parlant, qui se garde bien de critiquer qui que ce soit, le fait était dès lors surprenant.

— Le pauvre Bruno, il n'a plus l'ardeur qu'il avait.

Et pourtant, deux mois auparavant, Bruno était dans la force de l'âge. Quand il vous empoignait les mancherons de la brouette, qu'elle soit pleine de pierres peu importait, ça circulait sans effort. Les muscles lui faisaient des bosses grosses comme des melons, sur les bras. La tête droite, les épaules carrées, il menait le véhicule comme s'il se fût agi d'un carrosse d'enfant.

«Il n'a plus la force qu'il avait...»

L'accident s'est produit en juin. Il fallut jusqu'à octobre pour que Bruno admît sa faiblesse.

— J'ai pas l'allure que j'avais.

C'était beaucoup dire, pour lui, c'était admettre gros, pour un homme si fier de sa taille, de sa carrure, de sa force.

Et il expliqua:

— Du temps de la brouette, elle était si grosse, si pesante que ça me tenait en forme.

Pas de misère à le croire, la brouette pesait bien cent cinquante livres, vide. Et pleine, alors? Pleine, comme à l'habitude, de pierres, de terre noire, de croûte d'herbe pour faire les gazons, c'est du poids...

Bruno se terra en décembre, dans sa petite maison au bout du village. Une fois encore, il avait répété, avant l'hivernement:

— C'est le manque de ma brouette qui me tient faible.

Il mourut au printemps, tout seul. On le trouva dans son lit, amaigri de moitié, le visage affreux à voir, et les yeux blancs. Par terre, il y avait tout ce qui restait de la brouette, un rayon de la roue, que Bruno avait tenu dans ses mains jusqu'au moment de la mort, et qui était tombé là, après.

«La brouette»
L'Île introuvable
© Libre Expression, 1980

AARON

Chapitre XIII

Hier encore, songeait Moishe, hier encore un petit vagissant que je tenais dans mes bras. Quand l'ai-je porté au *mohel*? L'an dernier? L'année précédente?

Et les temps d'ensuite, la croissance de l'enfant. Un corps droit, des épaules saines, les cheveux crépus et brillants, les yeux immenses, et cette bouche charnue, sensible.

«Moishe, qui a fait le soleil? Moishe, raconte la loi de Judah! Moishe, qu'est-ce que je suis?»

Et Dieu dit: «Faisons un homme dans notre forme, comme notre ressemblance; et qu'il domine sur le poisson de la mer et sur l'oiseau des cieux et sur la bête, et sur toute la terre et sur tout reptile rampant sur la terre.» Et Dieu créa l'homme dans sa forme; dans la forme de Dieu, il le créa; mâle et femelle, il les créa. Et Dieu les bénit, et Dieu leur dit: «Fructifiez et multipliez et remplissez la terre et vainquez-la; et dominez sur le poisson de la mer et sur l'oiseau des cieux et sur toute la bête qui rampe sur la terre.» (Torah.)

Souvent, Aaron se tenait debout dans la cuisine, près de la table. Il se regardait les jambes, le corps, les mains. Combien de fois l'avait-il posée cette question: «Moishe, qu'est-ce que je suis?»

Marbre de sculpteur que Moishe ciselait patiemment. À même une sorte de bas-relief où se renvoyaient les images glorieuses et, se détachant du motif, nouveau meneur: Aaron fier et beau!

Tant de souvenirs et chercher sans trouver l'instant noir.

L'explication lente, mesurée: «Tu es le fils des grandes tribus. Tu as quitté tes pays pour habiter celui-ci, mais le signe de ta Maison demeure et c'est toi qui la perpétueras sur terre. Voici ce que tu es. Un homme, et plus qu'un homme, tu es Aaron sur qui Adonai mit un jour toutes ses complaisances...»

Les Fêtes de chaque année, la joie suave de se tenir devant l'Arche, le petit à ses côtés, sombre et beau, les yeux fixés sur ce rite millénaire.

Soucoth, Purim. Yom-Kippour, Shuavos, la gaieté du Rosch Ha-shanna! Et le Bar-Mitzvah qui l'avait fait un homme...

C'était tout chaud encore au cœur du vieux; quelques jours, des semaines: un passé immédiat, un moment de grande joie. Mais d'Aaron que le rite avait fait homme ce matin-là, que restait-il?

Moishe passa de longs jours à observer son petit-fils, à essayer de deviner pourquoi il avait soudain suivi dans la montagne cette fillette, pourquoi il avait oublié tous les enseignements. D'instinct, Moishe savait qu'il ne devait pas le demander. Qu'Aaron, pressé de questions, se refuserait peut-être cette fois à toute réponse et que les fardeaux deviendraient plus lourds encore à porter.

Et ce désir de travailler?

Quel mauvais vent soufflait donc?

Moishe songea à des concessions. Il hocha sa tête émaciée, il fit des murmures approbateurs. Ils étaient à souper tous les deux. Aaron à sa façon habituelle depuis quelque temps, assis de coin au bout de la table, les bras étendus, mangeant, le menton collé à l'assiette, en grandes lampées goulues.

— Si tu veux travailler, dit Moishe... Écoute!

Aaron leva les yeux. Moishe revenait à la charge.

— Si c'est de gagner des sous qui t'intéresse... Le soir, ici, je pourrais demander un peu de travail à la fabrique, te montrer comment... Plutôt que de ne rien faire... Bientôt tu connaîtras le métier. Tu prendrais ta place complètement à mes côtés?

Aaron ne disait rien.

— J'ai songé à cela poursuivit Moishe. Et ainsi la tradition ne se perdra point. Et je t'enseigncrai ton métier comme je t'ai enseigné ta religion, comme...

Il allait dire: «comme je t'ai enseigné à vivre», mais il se souvint de la fille dans la montagne, alors il reprit:

— Comme je t'ai enseigné tout le reste...

— Et si le métier ne me plaît pas? trancha Aaron.

La surprise immobilisa Moishe. Il avait parlé et tout le temps qu'Aaron l'avait écouté, Moishe avait cru qu'il devenait docile comme autrefois. Mais voici qu'une rage le secouait. Il tremblait de tous ses membres.

— As-tu le choix? Me plaisait-il à moi? Sommes-nous sur la terre pour jouir, pour y faire ce qui nous plaît? Tu viens après moi. Tu seras ce que je suis. Que le métier te plaise ou non!

Aaron se renfrogna.

Depuis quelque temps il ne trouvait plus de mots pour discuter avec l'aïeul. Comme si l'abîme des générations était désormais infranchissable.

Moishe repoussa sa chaise, se mit à gesticuler. Un torrent d'imprécations lui cascadait de la bouche. Les longues phrases hébraïques, imitées de la voix du Père, et de ses accents:

— Tu vas travailler parmi les Schlemiels? demanda-t-il à la fin. Tu vas te vendre à eux? Vendre ta sueur, tes efforts? Tu seras leur marchandise dont ils profiteront?

Aaron eut un rire bref.

— *Danke*, dit-il en Yiddish, *danke*, je ne serai pas leur marchandise, et je ne resterai pas ici chaque jour un peu plus pauvre...

Moishe se laissa tomber sur la chaise. Il haletait.

— L'argent, dit-il, tu songes à ça? Moi je songe au pain, à la viande... Vivre, seulement vivre. Je ne le compte pas en argent. La monnaie du pays...

Il frémit sur sa chaise.

— Mais qu'est-ce que tu es, maintenant? À qui appartiens-tu?

Aaron restait immobile, les yeux fixés ailleurs, ne cherchant pas à répondre.

Dans la cuisine puante de toutes les odeurs accumulées depuis cinquante ans que le taudis tenait bon, il n'y avait aucun son, sauf la respiration hoqueteuse de Moishe.

— Est-ce que je t'ai enseigné le mal? demanda-t-il à son petit-fils. Je ne te reconnais plus.

Il frappa la table du plat de la main.

— C'est la fille! cria-t-il. Elle t'enseigne le mal? Elle détruit tout ce que j'ai édifié... Qui est-elle?

— Elle... ou d'autres, fit Aaron.

Il soupira montra la porte.

— Il fallait qu'un jour je passe le seuil. Je ne pouvais être mis en cage. Et il y en a d'autres qui vivent en ce pays. D'autres de mon sang, de ma race... Je lisais, dans les journaux, que tous ne pensent pas comme moi, comme vous...

Il traça lentement le signe de l'Étoile de David sur la table humide et Moishe gémit.

— Sacrilège, dit-il.

— Où est la charpente de la Maison de David, demanda Aaron. Et le toit qui m'abriterait? Et la maison d'Aaron? Puisque je perpétue la Maison, dis-moi si elle me protégera du froid en hiver cette maison, si j'y trouverai un lit pour dormir, et si dans les armoires, j'aurai du pain et du fromage doux, et du lait pour me désaltérer?

Le visage du vieillard devenait livide.

— Tu vas tout renier, Aaron?

— Je ne renierai rien. Mais puisqu'il ne faut pas croire à l'argent et que la Maison d'Aaron n'a ni toit, ni feu...

Il se leva, marcha vers la porte. Froidement, il répéta les mots de Viedna:

— Pauvre et opprimé, c'est un bien dur destin. Riche et opprimé... Tu vois, la richesse achète les compensations...

Il se redressa, parut très grand contre la porte, très fier.

— Je serai riche, dit-il.

Aaron
© Les Quinze, 1981

CHRONOLOGIE

1915   Naissance, le 28* novembre à Québec, d'Yves Thériault, du mariage d'Alcide Thériault et d'Aurore Nadeau. Ascendance montagnaise.

1921-1929 Études primaires et secondaires à l'École Notre-Dame-de-Grâce et au Mont-Saint-Louis à Montréal.

1930   Thériault abandonne ses études et exerce divers métiers: chauffeur de camions lourds, vendeur de fromage…

1934   Atteint de phtisie, il séjourne un an et demi au sanatorium du Lac-Édouard. S'adonne au trappage.

1935   Annonceur, durant un temps d'essai, à la station CKAC de Montréal.

1936   Annonceur aux stations radiophoniques CHNC de New-Carlisle en Gaspésie, CHRC de Québec et CHLN de Trois-Rivières. Abandonne cette carrière et devient vendeur de tracteurs pour la «Laurentide Equipment».

1939   Annonceur à CKCH de Hull au salaire hebdomadaire de 13,25 $.

1940   Annonceur à CJBR, Rimouski. Écrit ses premiers sketches radiophoniques.

1941   Il publie ses premiers contes dans *le Jour*, journal dirigé par Jean-Charles Harvey.

1942   Épouse, le 21 avril, Germaine-Michelle Blanchet qui lui donnera deux enfants: Marie José et Michel. Court séjour à Toronto où il assume la gérance d'un journal puis celle de la publicité dans une usine de guerre. Collaborateur à *Photo-Journal*.

* Le 27 novembre, d'après l'extrait des registres de baptêmes.

1943	Scripteur et publicitaire à l'Office National du Film. Collaborateur au *Samedi* et à *la Nouvelle Relève*.
1944	Parution des *Contes pour un homme seul* aux Éditions de l'Arbre, dirigées par Robert Charbonneau et Claude Hurtubise.
1945-1950	Scripteur à Radio-Canada où il écrit des radiothéâtres et des contes. Fait des exercices de style en écrivant sous divers pseudonymes des «romans à dix sous». Écrit des nouvelles pour le *Bulletin des agriculteurs, Liaison, Amérique française* et *Gants du ciel*.
1950	Première du *Marcheur*, le 21 mars, à la salle du Gesù à Montréal. Parution de *la Fille laide*, son premier roman. Boursier du gouvernement français, il refuse la bourse pour des raisons de travail. Collaborateur à «Sur nos ondes».
1950-1960	Collabore à plusieurs séries radiophoniques de Radio-Canada.
1951	Parution de trois romans: *le Dompteur d'ours, les Vendeurs du temple* et *la Vengeance de la mer*.
1952	Tour du monde sur un cargo italien. Séjour en Italie. *Le Samaritain*, radiothéâtre présenté sous le pseudonyme de Kenscoff, reçoit le premier prix au Concours dramatique de Radio-Canada. Collaborateur à *Photo-Journal*. Écrit un radiothéâtre pour la station CKVL.
1953-1955	Adaptation du roman *Maria Chapdelaine* de Louis Hémon en épisodes hebdomadaires pour la station CKVL.
1954	Prix de la province de Québec pour *Aaron*. Écrit des téléthéâtres pour Radio-Canada.
1955	Collaborateur au *Devoir*. Écrit des textes pour la télévision de Radio-Canada.
1956	Écrit des téléthéâtres pour Radio-Canada dont l'adaptation du *Marcheur*.
1958	Prix de la province de Québec pour *Agaguk*. Auteur jusqu'en 1961 de la chronique «Pour hommes seulement» à la Patrie du dimanche, et y publie des contes et des essais. Écrit des téléthéâtres pour Radio-Canada.
1959	Élu membre de la Société royale du Canada. Collaborateur à Points de vue et CACF. *Alerte au camp 29, la Revanche du Nascopie.* Écrit un téléthéâtre pour Radio-Canada.
1960	*Ashini, Roi de la Côte Nord, la Loi de l'Apache, l'Homme de la Papinachois.*
1961	Prix du Gouverneur général pour *Ashini*. Prix France-Canada pour *Agaguk*. Collaborateur à *Châtelaine, le Magazine Maclean* et au *Nouveau Journal. Cul-de-sac, les Commettants de Caridad, Amour au goût de mer, le Vendeur d'étoiles* et *Séjour à Moscou*. Hôte du gouvernement soviétique au Festival international du film à

Moscou. Voyage en Grèce et en Yougoslavie. Écrit une dramatisation historique sur Camillien Houde pour la station CKVL.

1962 *Si la bombe m'était contée, Nakika, le petit Algonquin, la Montagne sacrée, le Rapt du lac Caché.* Collaborateur au *Quartier latin.*

1963 *Le Grand Roman d'un petit homme, le Ru d'Ikoué, Avéa, le petit tramway, les Aventures de Ti-Jean, les Extravagances de Ti-Jean, Ti-Jean et le Grand Géant, Nauya, le petit Esquimau, Maurice le moruceau.* Écrit une dramatique pour la station CKVL.

1964 *La Rose de pierre.* Président de la Société des écrivains canadiens. *Zibou et Coucou.*

1965-1967 Directeur des Affaires culturelles au ministère des Affaires indiennes et du Grand Nord canadien à Ottawa. Écrit des radiothéâtres pour Radio-Canada.

1965 *Les Temps du carcajou, la Montagne creuse, le Secret de Mufjarti.* Collaborateur à l'École ontarienne. Rédige des adaptations de pièces et un conte pour la station CKVL.

1966 *Les Dauphins de monsieur Yu, le Château des petits hommes verts, le Dernier Rayon.*

1967 *L'Appelante, la Bête à 300 têtes, les Pieuvres.* Collaborateur à la presse. Éditorialiste à *Sept-Jours.* Écrit une histoire de la ville de Montréal pour la station CKVL.

1968 *N'Tsuk, l'Île introuvable, le Marcheur* (pièce jouée en 1950), *Kesten, la Mort d'eau, Mahigan, les Vampires de la rue Monsieur-le-Prince.* Collaborateur à *Digeste Éclair.*

1969 *Tayaout, fils d'Agaguk, Valérie, Antoine et sa montagne, Textes et Documents, l'Or de la felouque.* Collaborateur à *l'Ovale CIL.*

1970 *Le Dernier Havre, Frédange* suivi des *Terres neuves.* Atteint de paralysie.

1971 Prix Molson.

1972 *La Passe-au-crachin.* Écrit des textes radiophoniques pour Radio-Canada.

1973 *Le Haut Pays.*

1974 Collaborateur au *Devoir.*

1975 *Agoak, l'héritage d'Agaguk, Oeuvre de chair.* Collaborateur au *Devoir.* Écrit des textes sur la Basse Côte-Nord pour Radio-Canada.

1976 *Moi, Pierre Huneau.* Collaborateur au *Jour.*

1978 Collaborateur à *Promenade.* Écrit des textes radiophoniques et un téléthéâtre pour Radio-Canada.

1979 *Les Aventures d'Ori d'Or, Cajetan et la Taupe.* Prix David pour l'ensemble de son œuvre. Collaborateur à *Vidéo-Presse*, jusqu'en 1983.

1980	*La Quête de l'ourse, Popok, le petit Esquimau, le Partage de minuit.* Collaborateur à *Livre d'ici.*
1981	*L'Étreinte de Vénus, la Femme Anna et Autres Contes, Pierre Gilles Dubois, Valère et le Grand Canot, Kuanuten (vent d'est).*
1982	Enregistre une série de treize entrevues pour la radio de Radio-Canada.
1983	*L'Herbe de tendresse, le Coureur de marathon.* Écrit des textes radiophoniques pour Radio-Canada. 20 octobre: décès de l'écrivain à Joliette.
1984	Diffusion de textes radiophoniques à Radio-Canada. Publication de textes posthumes à *Vidéo-Presse.*

Denis Carrier
Cette chronologie est extraite de la bibliographie analytique d'Yves Thériault publiée par le Centre de recherche en littérature québécoise de l'Université Laval (1985).

Table des matières

Achevé d'imprimer à Montmagny
par les travailleurs des ateliers Marquis Ltée
en novembre 1986